You Can't Hurry Love 16 ★ ABC 2

Stars
in your
Eyes

My Girl 12

motown

Stop! In The Name Of Love 22

On the CD:
01: ABC   02: My Girl
03: Baby Love   04: You Can't Hurry Love
05: Stop! In The Name Of Love

Published 2001

Editor: Anna Joyce
Cover Design: Dominic Brookman
Cover Image: ©Photodisc Inc 2000
Engraving & CD Production: Artemis Music Ltd.

International MUSIC Publications

ABC

Words and Music by Alphonso Mizell,
Freddie Perren, Deke Richards and Berry Gordy Jr

With drive

Buh, buh, buh, buh,____ buh, boo,____

____ buh, buh, buh, buh,____ buh, buh._____ 1. You

went to school to learn____ girl,____ Things you

nev- er, nev- er knew be- fore,____ Like_____ "I"____

____ be- fore "E"____ ex- cept____ af- ter "C" And why

two plus two____ makes four,____ Now, now,____ now, I'm

gon-na teach you___ all___ a-bout love, dear.___ Sit___

your - self down;___ take___ a seat:_____ All___

you got - ta do is re - peat___ af - ter me:___ Yeah A___

B C ea - sy as 1___ 2 3 ah sim - ple as Do,___

Re, Mi; A___ B C 1___ 2 3; ba-by, You and me___ girl:

A B C Ea - sy as 1___ 2 3 ah sim - ple as Do___

3

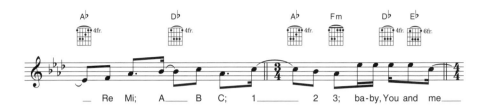

_ Re Mi; A__ B C; 1__ 2 3; ba-by, You and me__

_ girl.   Come__ on, let me love you just a   lit - tle bit; __ I'm__

_ a - gon - na teach you how to   sing   it   out;_____

Com - a, com - a, come on   let   me show you what it's   all   a - bout.

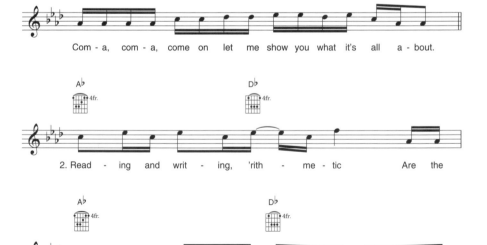

2. Read - ing   and   writ - ing,   'rith - me - tic   Are   the

branch - es   of   the   learn - ing   tree.___   Well   lis - ten   with - out__

_ Re, Mi; A_ B C; 1_ 2 3; ba-by, You and me_ girl:

A B C Ea - sy it's like I'm_ in love for free_ Sing a sim -

ple me - lo - dy_ That's_ how ea - sy love_ can be

That's how ea - sy love_ can be Sing_ a sim - ple me - lo - dy 1_

_ 2 3 ba - by you and me. Yah

sit down_ girl   I think_ I love_ you

Com - a, com - a, come and let me show you what it's all a - bout.

Ab   Db   Ab   Db

A B C it's ea - sy it's like I'm___ in love for free___ Take a sim-

Ab   Db   Ab   Fm   Db   Eb

ple me - lo - dy.___ That's___ how ea - sy love___ can

Ab7

I'm - a gon - na teach you how to sing it out, sing it

out Ow! Sing it out, sing it, sing it

Ab   Db   Ab   Db

A B C it's ea - sy it's like I'm___ in love for free Take a sim-

Ab   Db   Ab   Fm   Db   Eb   Ab

Repeat to fade

ple me - lo - dy___ That's___ how ea - sy love___ can be

8

MY GIRL

Words and Music by
William Robinson and Ronald White

Moderate rock

I've got sun - shine _____ on a clou - dy day. When it's cold out - side _____ I've got the month of May. _____ I guess you say, what can make me feel this way? _____ My girl *(My girl, my girl.)* Talk - ing 'bout my girl. _____

BABY LOVE

Words and Music by Brian Holland, Lamont Dozier and Eddie Holland

Ooh,

ba - by love, my ba - by love, I need__ you, oh how I
Ba - by love, my ba - by love, why must__ we se - pa - rate

need you,__ but all you do is treat__ me bad,
my love?_ All of my whole__ life through,

break my heart and leave me sad. Tell me what did I__
I nev - er loved no - one but you,_____ why you do me like__

to Coda ⊕

_ do wrong_____ to make you stay a - way so long, 'cause ba-
_ you do,__ I get this need.

C   C/B♭   A7

by love,   my ba - by love,   been miss - ing you,   miss kiss-

Dm   C

ing you.   In - stead   of   break - ing up,

F   C   F

let's start some kiss - ing and mak - ing up.   Don't   throw   our

C   F   C/E   Dm7   G9

love a - way,   in   my   arms   why   don't   you stay,

C   C/B♭   A

need   you,_   need   you,   ba - by love,   ooh,____

Dm   C   F

ba - by love.

13

Ooh,__ ooh,__ need to hold you__ once a-

gain my love, feel your warm__ em - brace my love,

don't throw our love a - way, please don't do

me this way, not hap - py like I used to be.

Lone - li - ness has got the best of me my love,___ my

14

ba - by love, I need you, oh, — how I need you.

Why d'you do me like you do, af - ter I've been

true to you? So deep in love with you, —

ba - by, ba - by ooh, — 'til it's hurt me, 'til it's

hurt me, ooh, — ba - by love, don't throw our

Repeat ad lib. to fade

love a - way. Don't throw our love a - way.

YOU CAN'T HURRY LOVE

Words and Music by Brian Holland,
Lamont Dozier and Eddie Holland

No,_____ you just have to wait, she said love don't come ea - sy,_____ it's a game of give and take._ You can't hur - ry love, no you just have to wait, she said trust,_____ give it time, no mat - ter how long_ it takes._ No love, love,_____ don't come ea - sy, but I keep on wait - ing, an - ti - ci - pa - ting, for that soft voice to talk to me at night, for some

Dm　　Gm　　　　　Eb　　　　F

ten - der　arms_____　to　hold___ me　tight,___　I　keep

Bb　　　　　　　　Eb　　Bb

wait - ing,　　　I keep on　wait - ing,___　but it ain't

Dm　　Gm　　　Eb　　　F

ea - sy,_____　it ain't　ea - sy　when Ma - ma said__ you

Bb　　　　　Eb　　Bb

can't hur - ry love,　no　you　just have to wait,　she said

Dm　　Gm　　　Eb　　F

trust,_____　give it time,　no mat - ter how　long___ it takes, you

Bb　　　　　Eb　　Bb

can't hur - ry love,　no　you　just have to wait,　she said

Dm　　Gm　　　Eb　　F

Repeat ad lib. to fade

love don't come ea - sy,　it's a game of give and take,___ you

STOP! IN THE NAME OF LOVE

Words and Music by Brian Holland,
Lamont Dozier and Eddie Holland

leav-ing me a - lone__ and hurt.__ Have-n't I been

good to you?__ Have-n't I been sweet__ to you?__

Stop! In the name of love be - fore you

break my heart, Stop! In the name of love

fade to Coda

be - fore you break my heart. Think it o - - - - ver,

to Coda

think it o - - - - ver._____

1.

I've known of your your se - clu - ded nights, I've e - ven seen her

ABC

Buh, buh, buh, buh, buh, boo buh, buh, buh, buh, buh, buh

You went to school to learn girl, things you never, never knew before
Like "I" before "E" except after "C" and why two plus two makes four
Now, now, now, I'm gonna teach you all about love, dear
Sit yourself down; take a seat
All you gotta do is repeat after me

Yeah A B C easy as 1 2 3 ah simple as Do, Re, Mi
A B C 1 2 3; baby, you and me girl
A B C easy as 1 2 3 ah simple as Do Re Mi
A B C; 1 2 3; baby, you and me girl
Come on, let me love you just a little bit
I'm a-gonna teach you how to sing it out
Coma, coma, come on let me show you what it's all about

Reading and writing, 'rithmetic are the branches of the learning tree
Well listen without the roots of love ev'ry day girl
Your education ain't comple-te-te-te
Teacher's gonna show you how to get to "A"
Spell me you add the two, listen to me baby, that's all you gotta do

A B C it's easy as 1 2 3 ah simple as Do, Re, Mi
A B C; 1 2 3; baby, you and me girl
A B C easy it's like I'm in love for free sing a simple melody
That's how easy love can be that's how easy love can be
Sing a simple melody 1 2 3 baby you and me

Yah sit down girl I think I love you
No get up girl show me what you can do

Shake it, shake it baby come on now shake it, shake it baby, ooh ooh
Shake it, shake it baby huh 1 2 3 baby ooh hoo
A B C baby ooh hoo Do Re Mi baby Ow! That's how easy love can be

A B C easy as 1 2 3 ah simple as Do Re Mi
A B C that's how easy love can

I'm a-gonna teach you how to sing it out
Coma, coma, come and let me show you what it's all about

A B C it's easy it's like I'm in love for free
Take a simple melody. That's how easy love can

I'm-a gonna teach you how to sing it out, sing it out Ow!
Sing it out, sing it, sing it

A B C it's easy it's like I'm in love for free
Take a simple melody that's how easy love can be

A B C it's easy it's like I'm in love for free
Take a simple melody. That's how easy love can be

I'm-a gonna teach you how to sing it out, sing it out Ow!
Sing it out, sing it, sing it

A B C it's easy it's like I'm in love for free
Take a simple melody that's how easy love can be

Words and Music by Alphonso Mizell, Freddie Perren, Deke Richards and Berry Gordy Jr
© 1970 Jobete Music Co Inc, USA
Jobete Music (UK) Ltd, London WC2H 0QY

MY GIRL

I've got sunshine on a cloudy day
When it's cold outside I've got the month of May

I guess you say, what can make me feel this way?
My girl (my girl, my girl.) Talking 'bout my girl. My Girl!

I've got so much honey the bees envy me
I've got a sweeter song than the birds in the tree

Well, I guess you say, what can make me feel this way?
My girl (my girl, my girl.) Talking 'bout my girl. My Girl!
Ooh. Hey, hey, hey. Hey, hey, hey
Ooh, yeah

I don't need no money, fortune or fame
I got all the riches, baby one man can claim

Well, I guess you say, what can make me feel this way?
My girl. (my girl, my girl.) Talking 'bout my girl. My Girl!
Talking 'bout my girl...

Words and Music by William Robinson and Ronald White
© 1964 Jobete Music Co Inc, USA
Jobete Music (UK) Ltd, London WC2H 0QY

BABY LOVE

Ooh, baby love, my baby love, I need you, oh how I need you
But all you do is treat me bad, break my heart and leave me sad
Tell me what did I do wrong to make you stay away so long
'Cause baby love, my baby love, been missing you, miss kissing you
Instead of breaking up, let's start some kissing and making up
Don't throw our love away, in my arms why don't you stay
Need you, need you, baby love, ooh, baby love

Baby love, my baby love, why must we separate my love?
All of my whole life through, I never loved no-one but you
Why you do me like you do, I get this need

Ooh, ooh, need to hold you once again my love
Feel your warm embrace my love, don't throw our love away
Please don't do me this way, not happy like I used to be
Loneliness has got the best of me my love
My baby love, I need you, oh, how I need you
Why d'you do me like you do, after I've been true to you?
So deep in love with you, baby, baby ooh
'Til it's hurt me, 'til it's hurt me, ooh, baby love
Don't throw our love away. Don't throw our love away

Words and Music by Brian Holland, Lamont Dozier and Eddie Holland
© 1964 Stone Agate Music, USA
Jobete Music (UK) Ltd, London WC2H 0QY

YOU CAN'T HURRY LOVE

I need love, love to ease my mind
I need to find, find, someone to call mine

But Mama said you can't hurry love, no you just have to wait
She said love don't come easy, it's a game of give and take
You can't hurry love, no you just have to wait
You gotta trust, give it time no matter how long it takes
But how many heartaches must I stand
Before I find a love to let me live again
Right now the only thing that keeps me hanging on
When I feel my strength, yeah, it's almost gone,
I remember Mama said

Can't hurry love, no you just have to wait
She said love don't come easy, it's a game of give and take
How long must I wait, how much more can I take
Before loneliness will cause my heart, heart to break
No, I can't bear to live my life a-lone
I grow impatient for a love to call my own
But when I feel that I, I can't go on
These precious words keep me hanging on

I remember Mama said no, you just have to wait
She said love don't come easy, it's a game of give and take
You can't hurry love, no you just have to wait
She said trust, give it time, no matter how long it takes
No love, love, don't come easy
But I keep on waiting anticipating
For that soft voice to talk to me at night
For some tender arms to hold me tight
I keep waiting, I keep on waiting
But it ain't easy, it ain't easy

When Mama said you can't hurry love, no you just have to wait
She said trust, give it time, no matter how long it takes
You can't hurry love, no you just have to wait
She said love don't come easy, it's a game of give and take
You can't hurry love, no you just have to wait
She said trust, give it time, no matter how long it takes
You can't hurry love, no you just have to wait
She said love don't come easy, it's a game of give and take...

Words and Music by Brian Holland, Lamont Dozier and Eddie Holland
© 1965 Stone Agate Music, USA
Jobete Music (UK) Ltd, London WC2H 0QY

STOP! IN THE NAME OF LOVE

Stop! In the name of love, before you break my heart

Baby, baby, I'm aware of where you go each time you leave my door
I watch you walk down the street, knowing your other love you meet
But this time before you run to her leaving me alone and hurt

Haven't I been good to you? Haven't I been sweet to you?
Stop! In the name of love before you break my heart
Stop! In the name of love before you break my heart
Think it over, think it over

I've known of your your secluded nights, I've even seen her maybe once or twice
But is her a sweet expression worth more than my love and affection?
This time before you leave my arms and rush off to her charms

After I've been good to you? After I've been sweet to you?
Stop! In the name of love before you break my heart
Stop! In the name of love before you break my heart
Think it over, think it over

I've tried so hard, hard to be patient hoping you'd stop this infatuation
But each time you are together I'm so afraid I'm losing you forever

Stop! In the name of love before you break my heart
Stop! In the name of love before you break my heart

Words and Music by Brian Holland, Lamont Dozier and Eddie Holland
© 1965 Stone Agate Music, USA
Jobete Music (UK) Ltd, London WC2H 0QY